Corp

C000101520

Gratte, Gratte poux
Catherine Kalengula

**La fausse dent
d'Alphonse**
Marianne Chouchan

Hyper l'hippo
Jean David Morvan
Nicolas Nemiri

**Boucle d'Or
et les Trois Ours**
Conte traditionnel anglais

Notes de **Pascal Dupont**
Formateur
IUFM Midi-Pyrénées

hachette
ÉDUCATION

Conception graphique (intérieur) : Laurent Carré

Conception graphique (couverture) : Estelle Chandelier

Illustrations intérieures : Joëlle Passeron (*Gratte, gratte poux*, pp. 5 à 19), Kim Phan-Dinh (*La fausse dent d'Alphonse*, pp. 21 à 40), Francine Vergeaux (*Boucle d'Or et les Trois Ours*, pp. 73 à 94)

Édition : Janine Cottereau-Durand

Réalisation (couverture et intérieur) : Créapass, Paris

Photogravure : Nord Compo

Fabrication : Isabelle Simon-Bourg

Crédit texte

Hyper l'hippo, de Jean David Morvan (scénario) et Nicolas Nemiri (illustrations), © Guy Delcourt Productions 2005.

hachette s'engage pour l'environnement en réduisant l'empreinte carbone de ses livres. Celle de cet exemplaire est de :

450 g éq. CO₂

PAPIER À BASE DE FIBRES CERTIFIÉES

Rendez-vous sur www.hachette-durable.fr

ISBN : 978-2-01-117342-3

© Hachette Livre 2006
58 rue Jean Bleuzen, CS 70007, 92178 Vanves Cedex
www.hachette-education.com

AVANT-PROPOS

De la littérature, pour quoi faire ?

Le cycle 2, cycle des apprentissages fondamentaux, est le moment où se construit le socle de la réussite scolaire. Il doit permettre à chaque élève d'accéder à la lecture et à l'écriture tout en se familiarisant avec leur dimension culturelle sans laquelle tout apprentissage demeurerait décontextualisé et vide de sens. Ouvrir aux enfants la porte de la littérature, c'est les introduire dans des univers imaginaires, leur permettre de répondre à des questions existentielles à travers des œuvres de fiction, susciter leur curiosité et leur appétit d'apprendre.

À partir de ces références littéraires, les élèves se constitueront des premiers repères qui entreront en résonance avec les expériences et les lectures à venir.

Quelles œuvres choisir ?

Le bibliobus Hachette propose aux jeunes lecteurs des œuvres intégrales de littérature de jeunesse propres à nourrir leur réflexion, à faire naître des interrogations, et qui sont adaptées à leur connaissance de la langue, à leurs compétences de lecture et de compréhension.

Elles ont été choisies parmi les œuvres du patrimoine, le fonds de littérature jeunesse des éditions Hachette Jeunesse, Rageot Éditeur et des manuscrits inédits.

Devenir lecteur

Dans le prolongement de l'école maternelle, la lecture régulière de contes, d'albums et de premiers romans destinés aux jeunes enfants est un élément décisif de la construction d'un comportement de lecteur.

Il convient donc, avant tout, d'écouter et de lire beaucoup d'histoires.

L'enseignant conduit les élèves à reformuler le texte, à en repérer les étapes, à tenter d'anticiper, à débattre de son contenu.

Il les aide à tisser des liens entre l'œuvre abordée et d'autres récits.

La littérature à l'école

Apprendre à lire, c'est mettre en jeu en même temps deux compétences très différentes : identifier des mots et comprendre un texte.

Le plus souvent, les apprentis lecteurs ne maîtrisent pas encore suffisamment les automatismes du déchiffrage pour accéder seuls à des œuvres posant de véritables problèmes de compréhension.

Les manuels d'apprentissage reflètent cette situation en ne proposant que des textes courts et peu complexes sur le plan narratif.

Il est donc nécessaire de présenter, en complément des supports d'apprentissage, des œuvres de littérature de jeunesse pour développer les compétences et les stratégies de compréhension.

Les nombreuses lectures à haute voix des enseignants, parents, médiateurs du livre favoriseront l'accès de chaque enfant au monde de l'écrit. L'habitude de fréquenter des livres deviendra progressivement une culture.

Pascal Dupont
Formateur à l'IUFM Midi-Pyrénées

Catherine Kalengula

Gratte, Gratte poux

Illustré par Joëlle Passeron

Tipou et Patapou, deux amis de longue date, voyagent de tête en tête, à la recherche de la chevelure parfaite.

des amis de longue date : de vieux amis

Et voilà qu'ils découvrent, dans
une classe de CP, plein de jolies
têtes à chatouiller !

Les deux poux vont sur la tête d'une fillette et s'amusent à faire des galipettes sur ses bouclettes.

des galipettes : des culbutes, des cabrioles

9

un chouchou :
anneau de tissu
porté dans
les cheveux

Quand tout à coup… il y a un accident de pou ! Tipou s'est tordu la patte sur un chouchou.
– Aïe, aïe, aïe ! Les chouchous, quel horrible piège à poux !

Tipou et Patapou s'installent sur
la tête d'un garçon blond.
Patapou se pince le nez :
– Oh beurk ! Il sent trop mauvais !
Mais, ça ne gêne pas Tipou :
– Moi, propre ou sale, ça m'est
égal ! Ce qui compte, c'est que je
me régale !

ça m'est égal :
ça ne fait rien

se régaler :
manger des choses
qui font très plaisir

11

Tipou suit son ami, qui fuit en courant sur la tête d'un autre enfant. Mais Patapou s'emmêle les pattes dans toutes ses petites nattes. Affolé, Tipou ne le voit plus :

des nattes : des mèches de cheveux tressées

– Ouh, ouh, Patapou, où es-tu ?

Les deux amis quittent ces cheveux trop compliqués et grimpent sur la manche d'un autre écolier. Un garçon roux qui gigote beaucoup.

gigoter : remuer dans tous les sens

Patapou devient tout vert :
– Au secours, j'ai le mal de mer !

Un peu plus loin, Tipou aperçoit une magnifique chevelure, longue et douce. Il dit à son ami :
– Regarde ce paradis !

un paradis :
un endroit
merveilleux

Patapou ouvre grand les yeux :
– Mais tu es fou ! Tu ne sens pas le produit anti-poux ?

Tipou et Patapou trottinent jusqu'à la tête voisine. Mais la place est déjà occupée ! Par un énorme pou, qui n'a pas l'air content du tout :

– Trouvez-vous une autre tête, ou ça va être votre fête !

ça va être votre fête : ça va faire mal *(langage familier)*

15

Les deux bébêtes ont mal à la tête. La vie de pou, ce n'est pas facile du tout !

Tipou aperçoit une cage :

– Et si on allait sur le hamster ?

Patapou en tombe sur le derrière :

– Voyons, tu n'es pas un pou des bêtes ! Tu es un pou de tête !

un hamster : petit rongeur que l'on élève comme animal de compagnie

désespéré :
très malheureux

Désespérés, les deux amis s'assoient sur un cahier, les pattes croisées. Cette classe de CP n'est vraiment pas faite pour deux petits poux, gentils comme tout !

Et soudain, Tipou a une idée…

Assis sur un cheveu, Patapou se
frotte le menton :
– Bravo Tipou, tu es vraiment un
champion !

être un champion :
être formidable

À côté de lui, son ami sourit :
– Oui, les têtes de CE1, quel
paradis !

Marianne Chouchan

La fausse dent
d'Alphonse

Illustré par Kim Pham-Dinh

Il n'y a pas d'école, ce matin : on est mercredi. Mais Alphonse se réveille à la même heure que d'habitude. Il glisse sa main sous l'oreiller, et pousse un cri de joie : la petite souris est passée !

glisser : passer

23

les dents de lait : premières dents que l'on a quand on est bébé et qui commencent à tomber vers l'âge de six ans pour être remplacées par des dents d'adulte

Hier il a perdu une dent de lait. Avant de s'endormir, il a mis la dent sous son oreiller. La petite souris l'a remplacée par une pièce de monnaie ! C'est une pièce de deux euros toute neuve et bien dorée.

Quelle chance ! Il a repéré une pochette de stylos parfumés dans la vitrine du bazar, en bas de chez lui. Il va enfin pouvoir acheter les stylos et écrire une lettre parfumée à sa copine Lola.

un bazar : un magasin dans lequel on vend toutes sortes de choses

Ce n'est pas tous les jours qu'Alphonse perd une dent. Cela fait un peu mal. Mais une fois la dent tombée, quel soulagement ! Et la nuit d'après, la petite souris apporte une pièce !

un soulagement : le fait de ne plus avoir mal

tâter :
toucher de la main

répit :
repos

Alphonse tâte ses dents : aucune n'est prête à tomber. Il aura quelques jours de répit… et la petite souris aussi. Quel travail de surveiller les dents de tous les garçons et filles du quartier ! Comment fait-elle ?

Ses corn flakes vite avalés, Alphonse demande à sa maman l'autorisation de descendre au bazar :

des corn flakes : des céréales à base de flocons de maïs

« D'accord ! dit sa maman. Tu sais ce que tu veux acheter ?

– Mais oui ! répond Alphonse. Les stylos parfumés. Je te les ai montrés … »

Et Alphonse, tout joyeux, part avec sa *pièce d'or*.

la **devanture** :
la vitrine

une **voiture à
friction** :
petite voiture que
l'on frotte à terre
pour la faire
avancer toute seule

être tentant :
faire envie

Devant la devanture du bazar, il
y a toujours beaucoup de jouets.
La voiture à friction est tentante,
le gros camion de pompiers aussi.
Mais Alphonse préfère vraiment
la pochette de stylos.

Il entre dans le magasin, le cœur battant.

« Bonjour mon petit, fait aimablement la vendeuse. Je peux t'aider ?

– Je voudrais, s'il vous plaît, la pochette de stylos parfumés.

– Je vais la chercher, mon garçon. Mais as-tu assez d'argent ?

le cœur battant : avec beaucoup d'excitation

29

– Oui, dit fièrement Alphonse, en posant la pièce de deux euros sur le comptoir, la petite souris est passée ! »

La vendeuse sourit, puis elle dit : « Ah, bravo ! Mais je crois qu'elle devra repasser, car tu n'as pas assez : la pochette de stylos coûte deux euros et quatre-vingts centimes.

– Mais c'est écrit deux euros !

– Non, regarde bien ! Ah, ce doit
être ce gros camion. Il t'a empêché
de lire le prix exact, remarque la
vendeuse. Mais je peux te vendre
autre chose, si tu veux. Des billes,
un jeu des sept familles… Prends
ton temps pour choisir.

– Non, je voulais les stylos parfumés,
dit Alphonse, horriblement déçu.

horriblement :
terriblement

être déçu :
être triste parce que
l'on ne parvient pas
à que l'on voulait

31

– Eh bien alors, sois patient, et
attends de perdre une autre dent !
La souris reviendra et te donnera
l'argent qui manque ! »

Alphonse rentre chez lui, la tête
basse.

Sa maman demande :

« Alors ces stylos parfumés, où sont-ils ? »

Alphonse renifle et explique : « Ils coûtaient trop cher. Je n'ai pas pu les acheter.

renifler : aspirer par le nez quand on pleure

– Ne t'en fais pas, mon chéri, dit sa maman. Je suis sûre que la petite souris repassera bientôt ! »

Mais il n'y a pas d'espoir : aucune des dents d'Alphonse ne bouge. Alphonse se demande combien de temps il devra encore attendre.

Pour le déjeuner, la maman d'Alphonse a préparé de la salade de riz. Elle a mis plein de bonnes choses dedans : de l'œuf dur, de l'avocat, du maïs.

34

C'est délicieux, mais cela donne surtout une idée à Alphonse. Alphonse met discrètement de côté quelques grains de maïs. Après le repas, il les emporte dans sa chambre.

délicieux :
très bon

mettre de côté :
cacher

discrètement :
sans se faire
remarquer

Il sort sa peinture et peint les grains de maïs en blanc. Pour faire plus vrai, il ajoute avec un pinceau fin de petites lignes rouges : on dirait des traces de sang. Puis il contemple son œuvre. Il en est très satisfait : le grain de maïs ressemble tout à fait à une dent !

contempler :
examiner attentivement

son œuvre :
l'objet qu'il a peint

Le soir, Alphonse montre la fausse dent à ses parents et dit :
« Regardez papa, maman, j'ai encore perdu une dent ! La souris devra revenir !
– Eh bien, tu vois, répond maman : il suffisait d'être patient. Pense à glisser ta dent sous l'oreiller avant de t'endormir. »
Alphonse ne risque pas d'oublier !

Au moment de se coucher, Alphonse a une hésitation :
« Et si la souris découvrait ma ruse ? pense-t-il. Si elle ne revenait plus jamais ? »

une ruse :
le tour qu'il a préparé pour tromper la petite souris

Mais Alphonse a trop envie d'envoyer à Lola une lettre qui sent bon. Il n'hésite pas longtemps et place la fausse dent sous l'oreiller.

Le lendemain matin, la fausse dent a disparu. Alphonse, fou de joie, sent une pièce de monnaie sous ses doigts. La souris n'a donc rien remarqué !

Mais quand Alphonse prend la pièce de monnaie dans la main, elle lui semble bien légère. Il allume sa lampe de chevet pour voir.

une lampe de chevet : une petite lampe posée sur la table de nuit

une déception : le sentiment que l'on a lorsque l'on n'a pas obtenu quelque chose

Quelle déception ! La petite souris lui a joué un tour : à la place de la fausse dent, elle a mis une fausse pièce de deux euros, une pièce en chocolat …

Jean David Morvan
et Nicolas Nemiri

Hyper l'hippo

ADRIEN,
IL A UN CHIEN
QUI S'APPELLE
ZOREILLES.

LE CHAT
D'ADELINE,
SON NOM C'EST
RESSORT.

ET ANTOINE,
IL A NOMMÉ
SON HAMSTER
GALIPETTE !

43

hyper :
préfixe qui signifie très grand

hippo :
diminutif d'hippopotame

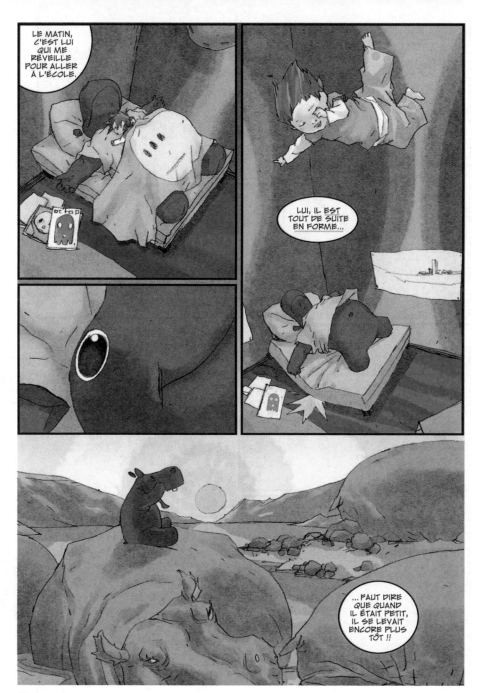

être en forme :
être plein d'énergie

rudement bien :
très bien

UNE FOIS C'ÉTAIT GRAVE, PAPA A FAILLI LE DÉCOUVRIR !

HEUREUSEMENT QU'ON EST RUSÉS.

PFFF... QUAND MÊME, ON A EU CHAUD !!

PLAF!

a failli :
a été sur le point

rusé :
malin

moche :
affreux *(langage familier)*

LE VENDEUR DE FRUITS DE MER DU COIN DE LA RUE, QUAND IL ENTEND LE VENTRE ...

GROUiïïïK!!

... D'HYPER GARGOUILLER...

... IL LUI OFFRE TOUJOURS...

C'EST GENTIL, N'EST-CE PAS ?

...UN PEU D'ALGUES.

des fruits de mer :
des coquillages et des crustacés comme des huîtres, des moules, des crevettes...

gargouiller :
faire un bruit qui ressemble à celui de l'eau dans un tuyau

un pupitre :
une petite table de classe

vexant :
contrariant

QUAND C'EST L'HEURE DE LA RÉCRÉ, PERSONNE M'EMBÊTE.

MÊME QUE TOUT LE MONDE VEUT ÊTRE MON COPAIN !

C'EST CHOUETTE !!

LES FILLES, AU DÉBUT ELLES AVAIENT UN PEU PEUR, MAIS MAINTENANT ELLES AIMENT BIEN LUI FAIRE DES CÂLINS.

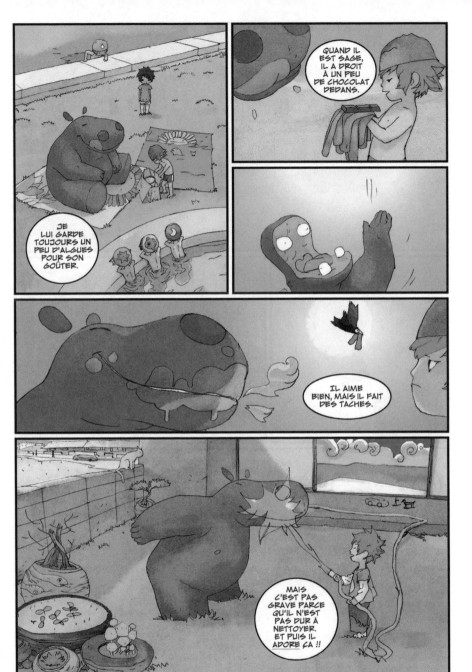

adorer :
aimer beaucoup

la console :
petit ordinateur relié à une télévision utilisé pour les jeux vidéo

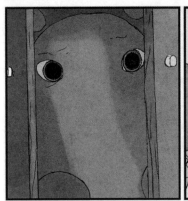

IL VOUDRAIT BIEN REGARDER LA TÉLÉ AVEC MOI DANS LE CANAPÉ DU SALON, MAIS C'EST PAS POSSIBLE... ALORS IL SE CACHE DANS LE PLACARD.

DES FOIS, IL RÂLE UN PEU QUAND IL VEUT VOIR UN AUTRE PROGRAMME.

MAIS C'EST MOI QUI GARDE LA ZAPPETTE !!!

râler :
protester

La zappette :
la télécommande du téléviseur *(langage familier)*

64

SOUVENT, IL RÉUSSIT À SE CACHER SOUS LA TABLE AU MOMENT DU DÎNER.

IL ATTEND AVEC IMPATIENCE LE MOMENT DE LA SALADE.

VU QUE JE N'AIME PAS TROP ÇA, ÇA M'ARRANGE BIEN.

MAMAN, DU COUP, ELLE CROIT QUE J'ADORE ÇA !!

la ligne :
le poids, la minceur

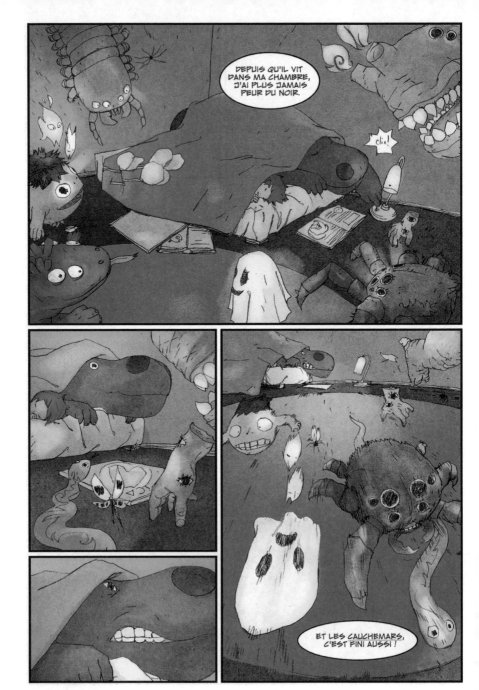

un cauchemar :
un mauvais rêve

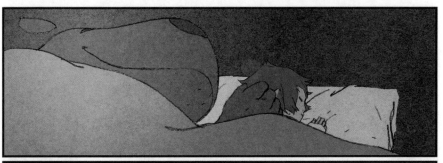

ET PUIS EN PLUS, IL EST TOUT DOUX.

EN VRAI, HYPER, C'EST PAS VRAIMENT MON ANIMAL...

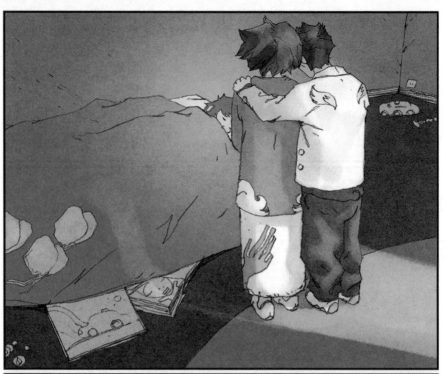

...POUR DE VRAI, C'EST MON COPAIN !

Conte traditionnel anglais

Boucle d'Or
et les Trois Ours

Illustré par Francine Vergeaux

Il était une fois trois ours qui
vivaient dans une petite maison
au milieu de la forêt. Il y avait
Tout Petit Ours, Ours Moyen et
Très Grand Ours.

Chaque ours avait un bol pour manger sa soupe : un petit bol pour Tout Petit Ours, un bol de taille moyenne pour Ours Moyen et enfin un grand bol pour Très Grand Ours.

Chaque ours avait aussi une chaise pour s'asseoir : une petite chaise pour Tout Petit Ours, une chaise moyenne pour Ours Moyen et une grande chaise pour Très Grand Ours.

Chaque ours avait, bien sûr, un lit pour dormir : un petit lit pour Tout Petit Ours, un lit moyen pour Ours Moyen et un grand lit pour Très Grand Ours.

Un jour, comme tous les autres jours, les ours préparèrent la soupe de leur déjeuner et la versèrent dans les bols. Puis ils sortirent faire une petite promenade dans les bois pendant que la soupe refroidissait.

Pendant ce temps-là, une petite fille appelée Boucle d'Or, à cause de ses cheveux blonds et bouclés qui scintillaient dans le soleil comme de l'or, arriva jusqu'à la maison des trois ours tout en se promenant.

scintiller :
étinceler, refléter
la lumière

Tout d'abord, elle regarda à l'intérieur par la fenêtre, puis par le trou de la serrure. Voyant qu'il n'y avait personne, Boucle d'Or tourna tout doucement la poignée de la porte et entra.

le trou de la serrure : le trou dans lequel on introduit la clé pour ouvrir la porte

79

sauter de joie :
être très content

Elle sauta de joie lorsqu'elle vit la soupe du déjeuner sur la table. Si elle avait été une petite fille bien sage, elle aurait attendu que les ours reviennent à la maison ; et les ours l'auraient sans aucun doute invitée à partager leur déjeuner, car c'était de très bons ours. Mais elle n'était pas une petite fille bien sage, et elle se servit toute seule.

D'abord, elle goûta la soupe de Très Grand Ours, mais elle la trouva trop chaude.

« Pouah ! » fit-elle.

Puis elle goûta la soupe d'Ours Moyen, mais elle la trouva trop froide.

« Pouah ! », fit-elle.

pouah :
cri de dégoût

Finalement, Boucle d'Or goûta la soupe de Tout Petit Ours. Elle était ni trop chaude, ni trop froide, juste comme il faut. Elle se régala si bien qu'elle aperçut tout à coup le fond du bol.

juste comme il faut :
parfait

se régaler :
manger avec plaisir, trouver quelque chose très bon

Elle se mit alors à la recherche d'une chaise pour s'asseoir et finir confortablement le bol de soupe.

D'abord elle voulut s'asseoir sur la chaise de Très Grand Ours, mais elle trouva le coussin trop dur.

Puis elle alla s'asseoir sur la chaise d'Ours Moyen. Elle trouva le coussin trop mou.

Finalement, elle alla s'asseoir sur la chaise de Tout Petit Ours et elle la trouva juste comme il faut. Boucle d'or s'y installa et mangea la dernière cuillerée de soupe.

Elle commençait à se sentir fatiguée et elle fit un énorme bâillement. **Patatra** ! la chaise s'écroula, et elle se retrouva le derrière par terre.

patatra :
bruit d'une chute

Boucle d'Or se releva et, se sentant de plus en plus fatiguée, grimpa un escalier situé au milieu de la pièce. Peut-être y aurait-il un lit à l'étage où elle pourrait se reposer ?

Arrivée en haut de l'escalier, elle vit une très jolie chambre à coucher avec trois lits.

D'abord, elle se coucha sur le lit de Très Grand Ours, mais il était trop haut pour elle.

Puis elle se coucha sur le lit de Moyen Ours, mais il était trop bas pour elle.

Finalement, elle se coucha sur le lit de Tout Petit Ours. Il n'était ni trop haut ni trop bas, juste comme il faut, et Boucle d'Or s'endormit très vite.

Pendant ce temps, les trois ours se dirent que leur soupe avait suffisamment refroidi et ils s'en revinrent à la maison pour la manger.

Or, Boucle d'Or avait déplacé le grand bol de Très Grand Ours.

« Quelqu'un a touché à ma soupe ! »

dit Très Grand Ours de sa très grosse voix.

Quand Moyen Ours regarda son bol, il vit qu'il avait aussi été déplacé.

« Quelqu'un a touché
à ma soupe ! »
dit Moyen Ours de sa voix moyenne.

Puis Tout Petit Ours regarda son bol : il était à sa place, mais la soupe avait disparu !

« Quelqu'un a mangé
ma soupe ! »
dit Tout Petit Ours, de sa toute petite voix,

« et l'a mangée tout entière ! ».
Et il se mit à pleurer.

Les trois ours pensèrent que quelqu'un était entré dans leur maison et avait mangé la soupe de Tout Petit Ours. Ils regardèrent alors tout autour d'eux.

« Quelqu'un s'est assis
sur ma chaise ! »

dit Très Grand Ours de sa très grosse voix.

« Quelqu'un s'est assis
sur ma chaise ! »

dit Moyen Ours de sa voix moyenne.

« Quelqu'un s'est assis
sur ma chaise ! »

cesser :
arrêter

dit, cessant de pleurer, Tout Petit Ours de sa toute petite voix,

« et l'a cassée ! ».

Alors les trois ours furent sûrs que quelqu'un était entré dans la maison et qu'il fallait peut-être l'examiner plus attentivement. Très Grand Ours se mit à grimper l'escalier, avec Ours Moyen sur ses talons et Tout Petit Ours bon dernier. Ils pénétrèrent dans la chambre à coucher.

examiner :
regarder avec attention

sur ses talons :
derrière lui

pénétrer :
entrer

« Quelqu'un s'est couché dans mon lit ! »

dit Très Grand Ours de sa très grosse voix.

« Quelqu'un s'est couché dans mon lit ! »

dit Moyen ours de sa voix moyenne.

Quand Tout Petit Ours s'approcha de son lit, il vit que l'oreiller était à sa place, la couverture aussi. Mais sur l'oreiller reposait la tête d'une petite fille endormie, une petite fille avec des boucles d'or.

« Quelqu'un s'est couché dans mon lit ! »

dit Tout Petit Ours,

« et y est encore ! ».

Dans son sommeil, Boucle d'Or avait bien entendu la très grosse voix de Très Grand Ours. Mais elle crut qu'il s'agissait du mugissement du vent ou du roulement du tonnerre. Elle avait aussi entendu la voix moyenne d'Ours Moyen, mais c'était comme si elle avait entendu quelqu'un parler dans un rêve.

Quand Boucle d'Or entendit la toute petite voix de Tout Petit Ours, elle était si aiguë qu'elle se réveilla immédiatement. Elle vit alors les trois ours penchés d'un côté du lit. Elle jaillit de l'autre côté et disparut d'un seul bond par la fenêtre.

un mugissement :
un bruit terrible

aiguë :
perçante

immédiatement :
tout de suite

jaillir :
sortir
précipitamment

Boucle d'Or courut, courut à travers la forêt, croyant les trois ours à ses trousses. Pourtant, si elle avait pu entendre ce que les ours disaient, elle n'aurait pas été effrayée du tout.

à ses trousses :
à sa poursuite

être effrayé :
avoir très peur

« Je pense que c'était
une gentille petite fille »
dit Très Grand Ours de sa très
grosse voix.

« Moi aussi »
dit Moyen Ours de sa voix
moyenne.

« Et moi aussi »
dit Tout Petit Ours de sa toute
petite voix,

« et j'aurais bien aimé qu'elle reste
jouer avec moi ».

Mais Très Grand Ours,
Moyen Ours et
Tout Petit Ours
ne la revirent
jamais.

Table

Achevé d'imprimer en Slovaquie par Polygraf
Dépôt légal : Avril 2019 - Collection n° 73 - Édition 13
11/7342/6